조민기

역사 덕후, 작가가 되다

역사를 전공하지 않은 역사 작가로 대학에서 문화인류학을 전공했다. 한 시대를 흔들었던 아름다운 인물에 대한 애정을 팬의 마음으로 연재한 칼럼 〈꽃미남 중독〉이 뜨거운 호응을 받으며 칼럼니스트로 자리매김했고 〈외조 - 성공한 여자를 만든 남자의 비결〉을 펴내며 작가가 되었다.

역사는 이야기다

잘 알려진 역사의 측면과 이면에 존재하는 숨은 이야기를 찾아서 생생하게 전달하는 역사 스토리텔러이자 역사와 인물에 대한 애정과 관심을 바탕으로 다섯 권의 역사책을 펴낸 베스트셀러 작가이자 강사로 활동하고 있다.

지금까지 펴낸 책

〈외조 - 성공한 여자를 만든 남자의 비결〉 〈조선임금잔혹사〉 〈조선의 2인자들〉 〈세계사를 움직인 위대한 여인들〉 〈부처님의 십대제자 - 경전 속 꽃미남 찾기〉 〈그녀는 다시 태어나지 않기로 했다 - 붓다를 만난 여인들〉 영화소설 〈봄〉 창작 그림 동화 〈친구를 만나러 왔어요〉 육아에세이 〈아기부처 엄마보살〉 역사 시리즈 〈3분 실록〉, 〈3분 실록 - 권력을 탐하다〉 등

한 장면으로 시작하는 조선왕조실록 1

『한 장면으로 시작하는 조선왕조실록』 시리즈

역사를 읽는 새로운 방식, 중요한 역사를 만든 그 날의 한 장면부터 시작해 역사 속 인물을 더욱 입체적으로 들여다봅니다. 왕과 신하, 왕비와 궁녀, 충신과 간신, 사랑과 음모, 전쟁과 개혁까지 조선왕조실록이 기록한 그 날을 재현합니다.

『한 장면으로 시작하는 조선왕조실록』의 특징

1. 역사 인물과 사건을 생생하게 묘사한 '그날의 한 장면'으로 역사를 바라봅니다.
2. 정사를 기반으로 이야기를 풀어내어 신뢰할 만한 역사적 해석을 제공합니다.
3. 가볍고 작은 판형으로 언제 어디서나 쉽게 읽고 활용할 수 있습니다.
4. 역사적 사건과 인물을 객관적으로 바라보고 해석할 수 있습니다.
5. 연표와 도표를 통해 등장인물의 관계를 쉽게 파악할 수 있습니다.

『한 장면으로 시작하는 조선왕조실록』 시리즈는 계속됩니다.

조선 건국 4개월 전,
공양왕4년1392년 3월

"성님, 그러다 말에서 떨어지기라도 하면 어쩌시려고 그러시오."

이성계는 만류하는 이지란을 뿌리치고 말에 올랐다. 취기가 도는지 얼굴은 벌겋게 달아올라 있었다.

"하 참, 이놈아 나 이성계다. 그래, 술 몇 잔 걸쳤다고 말에서 떨어질 것 같으냐?"

이성계가 끝내 말 위에 앉자 이지란은 말 고삐를 굳게 잡고 그의 앞을 가로막았다.

"괜찮다. 달리면 머리가 좀 개운해질 것 같아 그러니 고삐를 놓아라."

지란은 그래도 고삐를 놓지 않았다.

"아 글쎄 세자저하 맞겠다고 오셨다는 분이 공무를 제쳐놓고 술만 퍼마시다가 갑자기 사냥한다고 하니 말리는 게 정상이지, 안 말리는 게 정상이겠소?"

"허, 이놈이 아주 청산유수로구나. 그래, 언제부터 그렇게 공무를 걱정했냐?"

"차라리 속 시원하게 말을 좀 해보시오! 뭐가 그렇게 걱정이시오? 정몽주 때문에 그러시오?"

"…."

정곡을 찔린 이성계는 말문이 막혔다.

"성님."

차마 이지란의 얼굴을 똑바로 볼 수없어 이성계는 채찍으로 말을 세게 내리쳤다. 맞은 자리가 아팠는지 말은 쏜살같이 내달렸다.

"성님!"

이지란은 우렁찬 외침이 이성계의 뒤통수를 따라왔다. 지금 이지란이 자신을 얼마나 걱정하고 있는지 이성계는 누구보다 잘 알았다. 하지만 이렇게라도 하지 않으면 답답함으로 숨이 막혀 죽을 것 같았다.

이성계의 눈앞에 정몽주의 얼굴이 아른거렸다. 정몽주는 이성계가 한 번도 생각해 본 적 없었던 지혜와 지성 그 자체였다. 무장을 대표하는 이성계와 사대부를 대표하는 정몽주는 첫 만남에서 이미 서로를 깊이 신뢰했다. 고달픈 백성을 위해 고려를 개혁하자며 두 사람이 손을 맞잡고 함께한 세월이 벌써 30년이 넘었다.

나이는 이성계가 더 많았으나 그는 젊은 유생들과 사대부들처럼 정몽주를 늘 존경했다. 정몽주는 이성계가 바라는 모든 미덕을 갖춘 학자이자 관리였다. 사리사욕에 취한 부패한 권신들이 가득한 조정에서 정몽주의 존재는 더욱 빛났다. 한 치의 빈틈도 허용하지 않으면서도 유려한 문장으로 작성된 정몽주의 상소문은 언제나 화제였고 기라성 같은 대신들도 정몽주가

의견을 말할 때면 경청하며 그를 존중했다. 이성계는 그런 정몽주가 벗이자 동지라는 것이 너무나 자랑스러웠다.

그와 함께한 30여 년 동안 위험천만한 생사의 고비를 넘긴 적은 또 얼마나 많았던가. 하지만 고려의 마지막 희망 정몽주는 지금 이성계와 정도전을 제거하기 위해 혈안이 되어 있었다.

'왜 이렇게 되어 버린 것일까?'

혁명을 이끌어온 정도전은 이미 정몽주의 탄핵으로 유배형을 받았고 처벌이 추가되는 것은 시간문제였다. 어쩌면 지금쯤 무인도에 보내졌을지도 모른다. 그렇게 생각하자 가슴이 다시 답답해졌다. 자신의 욕심 때문에 정몽주와 정도전을 모두 잃게 되리라 생각하자 후회가 솟구쳤다. 그때 말이 무언가에 놀란 듯 갑자기 다리를 들더니 몸을 흔들었다.

"엇!"

온갖 상념에 빠져있던 이성계는 순식간에 말에서 떨어지고 말았다. 원숭이도 나무에서 떨어질 때가 있다더니 이성계가 말에서 떨어지는 날이 오다니 싶어 실소가 나왔다. 몸을 일으키려는 순간 종아리에 극심한 통증이 느껴졌다. 순식간에 퉁퉁 부어오른 것이 아무래도 부러진 것 같았다.

"성님!"

그제야 놀란 얼굴로 말에서 뛰어내려 달려오는 이지란의 모습이 눈에 들어왔다.

"하아, 이제 어쩐다."

부러진 다리를 보면서 이성계는 길게 한숨을 내쉬었다.

지울 수 없는 과거,
선조의 원나라 국적

고조선부터 고구려, 백제, 가야, 신라, 고려에 이르기까지 우리 역사의 건국 시조들은 하나같이 신화적 서사를 타고났다는 공통점이 있다. 천제의 손자이거나, 하늘에서 내려왔거나, 알에서 태어났거나 심지어는 용왕의 혈통이기도 했다. 하지만 조선의 건국 과정에는 신화적 요소가 전혀 없었고 조선을 건국한 태조 이성계는 신화적 영웅과 거리가 멀었다. 물론 이성계는 탁월한 무장이었고, 어진 성품과 뛰어난 리더십을 갖춘 인물이었지만 건국 시조 중에서 '특별한 혈통'이 아닌 평범한 가족 사이에서 태어난 유일한 인물이다.

이성계의 고조할아버지 '이안사'는 고려 시대 전주 지방 향리였다. 풍류와 여색을 좋아했던 것일까. 이안사는 전주 관아에 소속된 기생과 스캔들을 일으켰다. 관아에 소속된 기생과 사사로운 관계를 맺는 것은 금지되어 있었기에 이안사는 잘못에 대한 형을 받아야 했다. 이에 그는 처벌을 피하고자 강원도로 야반도주하였다.

그런데 강원도에 자리를 잡은 지 몇 년이 흘렀을 무렵, 옛 전주 감사가 강원도로 부임한 것이 아닌가. 소식을 들은 이안사는 서둘러 가솔들과 함께 고려와 원나라의 국경 지역인 동북면으로 터전을 옮겼다. 동북면에서 이안사의 아들이자 이성계의 증조할아버지가 되는 '이행리'는 원나라에 귀화하였고, 고려의 국적을 버림으로써 이안사가 저지른 잘못에 대한 면죄부를 얻었다.

이후 이행리의 아들이자 이성계의 할아버지 '이춘'은 원나라로부터 천호千戶 벼슬을 받아 관리가 되었고 이춘의 아들이자 이성계의 아버지인 '이자춘'은 부친의 벼슬을 계승했다. 당시 고려는 원나라의 속국이었으니 이성계의 조상들은 애국충정보다는 현실을 더 중시한 셈이다. 훗날 이성계는 고려를 위해 많은 전투에서 엄청난 업적을 세우며 명성이 높아졌으나 선조들의 과거 행적은 어떤 각색 작업을 거치더라도 결코 미화되기 어려웠다.

다시 고려로, 공민왕과 이자춘의 만남

원나라에 귀화한 이행리의 손자 이성계는 선택의 여지 없이 원나라의 백성으로 태어났다. 혼인 적령기인 17살이 되던 해, 이성계는 함경도 안변의 지방호족이었던 '한경'의 딸과 혼인

하였다. 이성계의 집안은 한경의 집안과 돈독한 사이였다. 이성계보다 2살 아래의 아내 한 씨는 고향에 터전을 잡고 6남 2녀를 낳아 키웠다. 전쟁터를 오가는 이성계를 조용히 내조하며 8남매를 키운 한 씨는 현모양처였다. 당시의 풍습에 따라 고향에서 이성계와 혼인한 그녀를 '향처鄕妻, 고향 마님'라고 부른다.

이성계가 한 씨와 혼인한 지 5년째 되던 공민왕4년1355년, 이성계의 아버지 이자춘은 공민왕과 은밀한 만남을 가졌다. 이자춘은 동북면의 실력자였고, 자주 정책을 펼치고자 했던 공민왕은 고려 출신의 이자춘이 쌍성총관부[1] 회복을 도와주길 바랐다. 이자춘은 영민한 인물이었고, 시대의 흐름을 잘 파악하고 있었다. 이자춘은 비밀리에 공민왕과 손을 잡았고, 고려군이 쌍성총관부를 공격하자 성문을 열고 고려군의 편에 섰다. 이자춘 가문의 귀화를 받아주고 벼슬까지 내렸던 원나라에게는 생각지도 못한 배신이었다.

공민왕5년1356년 고려는 100년 가까이 원나라에 강제로 빼앗겼던 쌍성총관부와 동북 지역을 되찾았다. 동시에 고려로 다시 귀화한 이자춘은 지난날 원나라의

1) 고려 후기 몽고가 고려의 화주지금의 함경남도 영흥 이북을 직접 통치하기 위해 설치했던 관부

관리였던 것을 용서받고 공민왕으로부터 벼슬과 개경의 저택을 하사받았다. 이자춘과 이성계 부자父子는 그들을 받아준 원나라를 배신한 대가로 공민왕의 충신이자 고려의 백성으로 돌아올 수 있었다.

23살의 이성계는 태어나서 처음으로 고려의 수도 개경에 입성했다. 하지만 세련된 권문세족들과 귀족 자제들이 넘쳐나는 개경에서 이성계의 존재감은 '변방의 촌뜨기' 그 이상도, 이하도 아니었다. 다만 콧대높은 개경의 귀족들도 이성계의 무예만큼은 인정할 수밖에 없었다. 변방에 비하여 전쟁의 긴장감이 상대적으로 약한 개경에서 무예는 귀족들이 허영과 과시욕을 뽐낼 수 있는 고급 오락이자

스포츠였다. 개경의 격구 대회 등 여러 대회에 나간 이성계는 실전에서 갈고 닦은 신기에 가까운 승마 솜씨를 뽐내기도 했으나 그의 무예 실력이 진정으로 빛을 발한 장소는 개경이 아닌 전쟁터였다.

고려의 명장,
이성계의 탄생

공민왕10년1361년, 이성계는 삭방도지금의 강원도 북부 만호[2] 겸

2) 몽골의 병사제도를 모방하여 외침 방어를 목적으로 설치된 고려·조선 시대의 무관직이다. 원래는 통솔하여 다스리는 가구의 수에 따라 만萬호·천千호·백百호 등으로 불리다가, 차차 민호의 수와 관계없이 품계와 직책 등으로 변하였다.

병마사로 부임한 아버지 이자춘을 따라 다시 고향으로 돌아왔다. 그러나 이자춘은 얼마 후 세상을 떠났고 28살의 이성계가 부친의 지위를 물려받았다. 아들이 아버지의 지위와 벼슬을 세습하는 것은 원나라와 고려 귀족사회의 전통이었다.

그해 겨울, 원나라 군사에게 쫓기며 빈번하게 고려의 변방에서 노략질을 일삼던 홍건적[3)]이 개경을 함락시키는 사건이 발생했다. 다급하고 위험한 상황에서 공민왕은 수도를 비우고 전라도 광주를 거

3) 중국 원나라 말기에 허베이성 일대에서 일어난 한족 반란군. 머리에 붉은 두건을 둘렀다고 해서 홍건적이라 불렸다.

쳐 복주경상북도 안동까지 피난하였다. 피난하며 잠시 숨을 고른 공민왕은 이듬해 1월, 대대적인 반격을 시작했다. 이때 이성계는 정예병을 이끌고 개경 탈환에 참여했고 가장 먼저 동대문을 돌파하는 공을 세우며 두각을 드러냈다.

개경 탈환은 젊은 무장 이성계의 이름을 크게 알린 전투였다. 공민왕 또한 이성계를 눈여겨보았다. 그로부터 불과 얼마 지나지 않은 공민왕11년1362년 2월, 쌍

4) 한양 조씨의 시조 조지수의 고손으로, 증조부인 조휘가 몽고에 투항한 이후 대대로 그의 자손들이 쌍성총관부의 총관을 세습했는데 조소생은 4대 총관이었다. 원나라에 귀화하여 고려에 대항하였다.

성총관부의 옛 총독 조소생[4]이 나하추[5]와 손을 잡고 쌍성총관부를 탈환하겠다며 동북면을 공격했다. 이에 공민왕은 이성계에게 진압을 명했다. 이성계는 이 전투에서 다양한 전술을 구사하며 나하추의 군대를 대파하였다. 이 전투로 원나라와 손을 잡았던 쌍성총관부의 잔여 세력은 완전히 몰락하고 나하추는 간신히 목숨만 건진 채 중원으로 도주했다. 완벽한 대승이었다.

원나라의 잔여 세력과 왜구들, 홍건적

5) 대대로 요동 지방의 군 지휘관을 세습해온 원나라 장수 출신으로 원나라 말, 여진부족을 끌어들여 심양 일대를 장악, 만주 지방에서 세력을 떨쳤다.

의 침략 등으로 어지러운 시대는 이성계의 능력을 최고치로 끌어올렸다. 전투마다 카리스마 넘치는 지휘로 군대를 통솔하며 탁월한 무공과 천재적인 전술로 승리를 이끈 이성계는 고려의 영웅으로 새롭게 떠올랐다. 높아진 명성 덕분에 이성계는 공민왕의 부름을 받고 정계에 입문했다.

하지만 전쟁터와 정치의 세계는 달랐다. 전쟁은 승패가 명확했으나 정치는 이겼다고 승자가 되는 것도, 졌다고 패자가 되는 것도 아니었다. 전쟁에서는 신출귀몰했던 이성계였지만, 정치의 수는 도무지 읽어낼 수가 없었다. 초보 정치가인 이성계는 처세술에 능하지 못했고 권모

술수나 암투에 미숙했으며 무엇보다 그를 뒷받침해줄 든든한 배경이 없었다. 고려에서 출세를 위해 가장 필요한 덕목은 가문이었고 그중에서도 권문세족이나 왕실과의 인맥은 가장 중요했다.

정략결혼, 몰락한 권문세족의 막내딸

마흔을 앞둔 이성계는 정치가로서 자신의 취약한 부분을 보완해줄, 일생에서 가장 중요한 동반자를 만난다. 바로 몰락한 권문세족 출신의 두 번째 아내, 강 씨이다. 강 씨의 할아버지

'강서'와 그의 아들들은 충혜왕[6]의 총신이자 심복이었다. 강 씨의 가문은 왕에게 충성을 다한 덕분에 부귀영화를 누릴 수 있었는데 문제는 충혜왕이 주색에 빠져 방탕한 생활을 일삼아 재위와 폐위, 복위를 되풀이하며 조정을 어지럽힌 폭군이라는 점이었다.

충혜왕은 즉위 후 아버지 충숙왕고려 제27대 임금의 후궁을 겁탈하고 함부로 신하를 죽이는 등 온갖 패륜과 포악을 저지른 왕이었다. 곡산 강 씨의 가문을 일으킨

6) 고려 28대 임금. 29대 충목왕과 30대 충정왕의 아버지이다. 난잡한 행실로 인하여 원나라로부터 폐위를 당하기도 했다. 첫 번째 재위 기간은 1330~1332년, 복위는 1339~1344년이다.

인물은 강 씨의 숙부 강윤충이었다. 그는 대단한 미남으로 여인들로부터 끊임없이 유혹을 받곤 했는데 타고난 미색을 활용하여 충혜왕의 주색잡기를 성심성의껏 보좌하여 총애를 누렸다.

하지만 충혜왕은 결국 왕위에 쫓겨나 원나라로 압송되었고 유배지에서 죽음을 맞았다. 충혜왕이 폐위된 후 그의 심복들은 대부분은 숙청되었는데 실세 중의 실세였던 강윤충만은 예외였다. 충혜왕의 왕비 덕녕공주가 강윤충을 총애했기 때문이다. 충혜왕이 폐위된 후 조정을 장악한 것은 원나라 황족 출신의 '대비' 덕녕공주였다. 타고난 미색으로 여인들의 사랑을 받았던 강윤충은 덕녕공주의 총애 덕분에 어떠한 처벌도 받지 않고 부귀영화와 권세를 누렸다.

불행마저도 매력으로 극복하며 영원할 것 같았던 곡산 강 씨 가문의 영광은 공민왕이 즉위하면서 타격을 입었다. 즉위 직후부터 반원 자주 정책을 펼친 공민왕이 친원 세력 숙청하는 과정에서 강윤충 형제들은 모반에 연루되어 수감되었다. 공민왕 즉위 후 이성계의 가문이 고려에서 신흥강자로 부각된 것과 반대로 권문세족의 특권을 누려왔던 강 씨의 가문은 몰락의 길을 걷게 된 것이다.

가문이 쇠락의 길을 걷기 시작한 공민왕5년1356년, 강윤성의 막내딸 '강 씨'가 태어났다. 강 씨가 3살이 되던 공민왕8년

1359년, 강윤성이 사형당하면서 강 씨의 집안은 그야말로 풍비박산의 위기에 처했다. 강 씨의 어머니는 일단 막내딸을 데리고 개성을 떠나 남편의 고향 곡산으로 내려갔다.

남편의 고향에서 딸을 키우며 숨죽여 생활한 지 6년이 되던 공민왕14년1365년 2월, 공민왕이 가장 아끼고 사랑하며 의지했던 노국공주가 출산 중 세상을 떠났다. 노국공주의 뱃속에서 숨이 끊어진 채 태어난 아기는 공민왕이 그토록 기다려온 왕자였다. 아내와 후계자를 동시에 잃은 공민왕은 실의에 빠진 나머지 정치에 흥미를 잃었고 승려인 왕사[7] 신돈에게 권력을 통째로 안겨주며 개혁을 맡겼다.

권력을 장악한 신돈은 권문세족을 견제하기 위해 성균관을 중건하고 신진 사대부를 발탁하는 등 공민왕의 개혁을 적극적으로 이어 나갔다. 하지만 무리한 개혁은 권문세족들의 반발을 샀고 지나치게 비대해진 신돈의 권력은 공민왕의 의심을 샀다. 공민왕19년1370년, 공민왕은 다시 정치에 전면적으로 나섰고 이듬해 신돈의 세력은 대거 숙청되었다. 이때 강씨의 가문은 다시 한번 멸문의 위기를 겪

7) 불교를 국교화했던 고려 시대에 임금의 스승 역할을 하였던 이름 높은 승려.

는데, 강 씨의 형부 신귀가 바로 신돈의 집안사람이었기 때문이다. 공교롭게도 강 씨의 가문은 부패한 권력과 비리에 깊숙하게 연결되어 있어 어지러운 나라가 바로잡힐 때마다 위기를 맞은 셈이었다.

이러한 상황에서 몰락한 권문세족의 막내딸 강 씨는 공민왕이 신임하는 실력파 신흥 무장 이성계와 부부의 연을 맺었으니 곧 가문을 위한 정략결혼이었다. 두 사람의 나이 차이는 스무 살이 넘었으나 당시 강 씨로써는 가문을 살리기 위한 상대로 이성계보다 나은 혼처를 찾기 어려웠고, 이성계 또한 정치가로서 출세하기 위해서는 인맥을 두루 갖춘 가문과의 결합이 필요했다.

이성계와 신덕왕후 강 씨 가계도

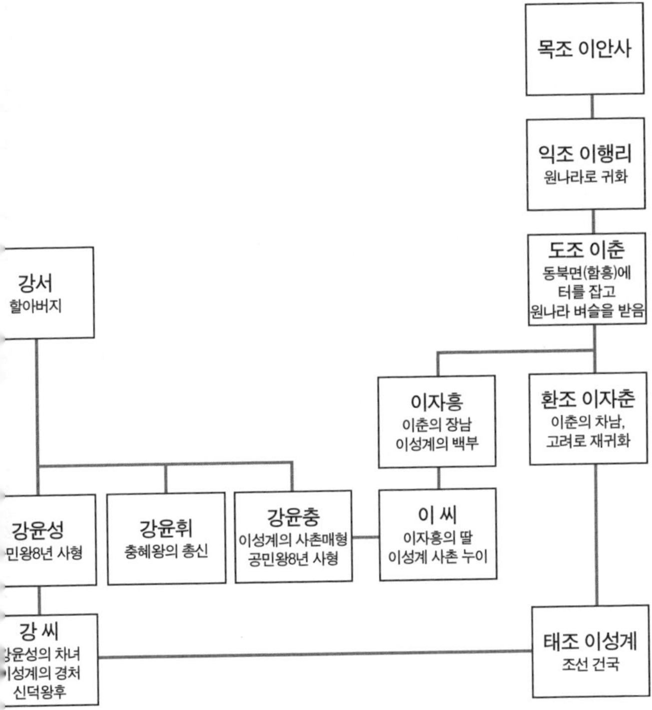

여러 계산 끝에 성사된 결혼이었지만 두 사람은 이내 서로를 진심으로 사랑하게 되었다. 전쟁터를 오가며 거칠게 살아온 이성계는 고향에 있는 아내와는 전혀 다른 매력을 지닌, 어리지만 야심만만하면서도 강단이 있는 강 씨가 사랑스러웠고 강 씨는 성숙하고 늠름한 이성계에게 매력을 느꼈다.

이성계는 고려의 관습에 따라 정식 혼례를 올리고 강 씨를 정실부인으로 맞았다. 고려는 처첩의 차별이 심하지 않았고, 일부다처제가 자유로웠기 때문에 정식 혼례를 올리면 순서의 차이만 있을 뿐 정실부인으로 대접받았다. 즉 고향의 아내 한 씨는 이성계의 첫 번째 정실부인이었고 개경에서 맞은 강 씨는 이성계의 첩이 아닌 두 번째 정실부인이었다. 고향에 있는 이성계의 아내 '한 씨'가 '향처鄕妻 - 고향 마님'라고 불린 것처럼 개경에 있는 강 씨는 '경처景處 - 서울 마님'라고 불렸다.

황산대첩, 국민 장군이 되다

친정을 선언하고 신돈을 숙청한 지 3년만인 1374년, 공민왕은 측근인 홍륜, 최만생 등의 쿠데타로 목숨을 잃었다. 허무한 죽음이었다. 공민왕

시해 사건을 수습한 이인임이 우왕[8]을 즉위시킨 후 권력을 장악하자 조정은 다시 권문세족의 손에 들어갔다. 그러자 새로운 희망을 품었던 정몽주와 정도전 같은 신진 사대부 세력의 불만이 높아졌다. 권력이 이동하는 어수선한 시기는 아직 주류 사회에 편입하지 못한 이성계와 강 씨에게 곧 기회였다. 이성계는 어지러운 조정에서 권력을 다투는 대신 자신의 주특기를 발휘하며 스스로 새로운 권력이 되었다.

8) 고려 제32대 임금이자 공민왕의 유일한 아들로 이름은 왕우王禑. 후계자로 책봉되지 못한 채 공민왕의 갑작스러운 죽음으로 10살의 어린 나이에 왕위에 올랐다.

이성계의 주특기는 전투였고 당시 가장 큰 골칫거리는 마침 왜구들이었다. 기록에 따르면 우왕 때에만 왜구의 침입이 무려 378회에 이른다. 이성계는 망설임 없이 개경을 떠나 전쟁터를 누비며 가는 곳마다 공을 세웠다. 우왕2년1376년 최영 장군은 홍산지금의 충남 부여 지역에서 왜구를 크게 무찔렀다. 백성들은 이 승리를 홍산대첩이라고 불렀다. 우왕6년1380년, 이성계는 전라도 남원에서 왜구를 격파하였는데 이 승리는 황산대첩이라고 불렀다. 이는 곧 이성계가 고려 백성들의 눈에 최영과 같은 '국민 장군' 반열에 올랐다는 뜻이었다.

불패의 명장으로서 국민 장군의 인기

를 누린 이성계는 전투가 없을 때면 강 씨와 함께 개경에 머물렀다. 고향에 머물던 이성계의 아들 이방간과 이방원도 개경으로 올라왔다. 강 씨는 과거 공부를 하는 두 아이를 살뜰하게 보살피면서 이성계를 내조했다. 이방원과 강 씨는 10살 정도밖에 차이가 나지 않았지만 두 사람은 엄연히 모자母子 관계였다.

이성계가 황산대첩을 거두고 돌아온 이듬해인 우왕7년1381년 이성계와 강 씨의 첫아들 이방번이 태어났고 우왕8년1382년, 곧바로 막내아들 이방석이 태어났다. 비슷한 시기, 진사시에 합격한 이방원은 성균관에 입학하였고 우왕9년1383년, 병과 7등전체 10등의 우수한 성적으로 문과에 급제하였다. 이방원의 합격 소식을 들은 이성계는 대궐을 향해 절을 하며 감격의 눈물을 흘렸다. 변방 무사 출신이었던 이성계에게 아들의 문과 급제는 무엇과도 바꿀 수 없는 기쁨이었다.

정도전,
이성계의 마음을 사로잡다

사랑하는 아내 강 씨에게서 연달아 사랑스러운 아들들이 태어나고 이방원은 과거에 합격하면서 이성계는 더할 나위 없이 만족스러운 나날을 보내며 행복을 누렸다. 특히 이방원의 과거 급제는 '고려의 신하'가 되고 싶었던 이성계의 한을 풀어준 것이기도 했다.

이 무렵 이성계는 그의 인생을 바꿔놓은 인물을 만나게 되는데 그가 바로 역성혁명을 계획하여 이성계를 왕으로 추대한 조선의 설계자, 정도전이다. 정도전은 신진 사대부 중에서도 과격파로 소문이 자자했다. 그래서 당대의 권세가 이인임의 눈 밖에 나게 되었고 유배지를 전전하며 젊은 시절을 다 보내버린 상황이었다. 유배에 이어 유랑과 걸식을 거듭하며 개혁을 넘어선 혁명의 구상을 완성한 정도전에게 막강한 힘과 군사를 지니고 있으면서도 정치적으로 미숙한 이성계는 꼭 필요한 인물이었다.

당시 이성계는 역성혁명의 필요성을 크게 느끼고 있지 않았으나 정도전은 장차 뜻을 이루기 위해 이성계를 꼭 만나야 했다. 그래서 얼굴 한 번 본적 없는 이성계를 만나기 위해 함흥까지 찾아갔다. 군사훈련 중이던 이성계를 만난 정도전은 자신이 정몽주와 절친한 사이라고 말했다. '정몽주'라는 이름을 들은 이성계는 정도전에게 마음을 활짝 열었다.

이성계가 정몽주를 처음 만난 것은 공민왕13년1364년, 여진 정벌을 위한 전쟁에서였다. 이때 종사관으로 참전했던 정몽주는 군사를 지원해주러 온 이성계와 만났다. 무장이었지만 학자들을 대단히 존중했던 이성계는 탁월한 지성과 빼어난 인품을 갖춘 정몽주에게 매료되었다. 그 후 이성계는 자신의 정치적 입지가 높아

지자 기회가 닿을 때마다 정몽주를 힘껏 추천했다. 황산대첩에서도 함께 했던 두 사람은 20년 넘게 우정을 이어오고 있었다. 만약 정도전에게 '정몽주'라는 배경이 없었더라면 이성계의 마음을 사로잡기란 어려웠을 것이다.

이성계가 가문이나 배경으로 사람을 판단하는 사람이 아니라는 점은 정도전에게 다행이었다. 인지도와 실력을 갖추었으나 이성계는 여전히 노련한 정치가가 아니었고, 정도전에게는 이성계의 부족함을 채워줄 만한 풍부한 지략이 있었다. 이성계는 명쾌한 비전을 제시하며 정치의 중요성과 이성계가 정치가로서 나아가야 할 방향에 대하여 성심성의를 다해 설명해주는 정도전이 마음에 들었다. 두 사람은 이내 의기투합하였다.

조선의 통치이념, 성리학

이성계를 사로잡은 정몽주와 정도전의 공통점은 성리학을 공부한 신진 사대부라는 것이다. 고려 말, 유생들과 학자들 그리고 과거를 통해 정계에 진출한 젊은 관료들을 매료시킨 것은 중국 송나라 때 '주희'라는 학자에 의해 발전한 유학의 새로운 이름, 성리학이었다. 성리학은 고려의 개혁과 역성혁명, 조선의 건국을 함께하였고 조선의 새로운 통치이념으로 '채택'되어 조선 왕조

500년을 지배하게 된다. 그렇다면 도대체 이 성리학이란 무엇일까?

성리학이라는 단어의 의미는 '성명·의리의 학性命義理之學'에서 '성명性命'의 '성性'과 '의리義理'의 '리理'를 합쳐 만든 줄임말이다. 중국 사상의 근본이라고 할 수 있는 '유학儒學'의 시작은 춘추 전국 시대를 살았던 공자에서 출발한다. 이때의 유학은 종교나 철학이 아니라 '도덕'이라는 커다란 개념이었다. 하지만 세월이 흐르고 시대가 변하면서 유학은 점차 발전하였고 송나라 때에는 공자와 맹자의 유교 사상을 '성리性理·의리義理·이기理氣' 등의 체계를 가진 학문으로 해석하였는데 이를 줄여서 성리학이라 불렀다.

시간이 흐르면서 여러 학자에 의해 계속해서 계승, 발전되어오던 성리학을 집대성한 인물은 '주희'라는 학자였다. 1130년 중국 안휘성에서 태어난 주희는 19세에 진사시에 급제한 후 71세로 세상을 떠날 때까지 학문에 전념하며 많은 저서를 남겼다. 성리학을 '주자학'이라고도 하는데 이는 주희의 업적을 기리고 그의 사상을 계승한 학문이라는 뜻이다. 주희가 집대성한 성리학은 그가 세상을 떠난 지 약 90년 후 고려의 한 학자에게 전해지면서 극동 아시아의 청춘 지식인들을 열광시켰다. 어쩌면 주희는 자신의 학문이 고국이 아닌 타국에서 이토록 격렬한 환영을 받게 되리라고는 꿈에도 생각하지 못했을 것이다.

주자의 사상과 학문이 고려의 지식인들에게 적극적으로 받아들여지게 된 것에는 역사·문화적 공감대가 있었기 때문이다. 중국은 춘추전국시대에 노자, 공자, 맹자, 순자, 한비자 등의 사상가들이 등장하여 사상과 철학이 크게 융성하였다. 하지만 전국을 통일한 진나라 때 일어난 분서갱유[9]로 인하여 유학이 완전히 위축되었다. 그 후 한나라 때에는 옛 유교 경전의 원형을 회복하고 그 단어와 문장에 해

9) '책을 불사르고, 선비들을 생매장시킨다.'는 뜻. 법가사상을 통치이념으로 선택한 진나라는 승상 '이사'의 주장에 따라 실용서적을 제외한 모든 사상서적을 불태우고 유학자를 생매장하였다.

석하는 '훈고학'이 크게 융성하였고, 당나라 때에는 도교와 불교가 유행하였다.

유학이 다시 통치이념이자 사상과 철학의 체계를 갖춘 것은 송나라 때였다. 하지만 학문과 예술을 중시하던 송나라는 거란요나라과 여진금나라 등의 북방 유목 민족으로부터 공격받았고 결국 금나라에 수도를 함락당하는 수모를 겪는다. 그 후 항주 임안으로 수도를 옮기고 새롭게 나라를 재건하였는데 이 나라가 '남송'이다. 남송은 오랑캐라 천시했던 금나라와 화친을 하여 간신히 명맥을 유지하였다. 주희는 바로 이 남송 시대를 살았던 학자이다. 오랑캐에게 주권을 빼앗긴 나라에서 살아가야 했던 남송의 지식인 주희가 바라본 세상은 원나라의 속국으로 전락한 나라에서 살아가야 했던 고려의 지식인들이 처한 상황과 크게 다르지 않았다. 성리학 그중에서도 주희의 학문을 접한 고려의 지식인들은 자연스럽게 감정을 이입할 수밖에 없었고 주희의 사상과 학문은 그가 세상을 떠난 지 약 100년 후 고려 신진 사대부 탄생의 양수 역할을 하게 된 것이다.

고려 최초의 주자학자, 안향과 백이정

1298년 고려를 속국으로 삼은 원나라는 제국대장공주의 아들을 고려의 왕으로 삼았다. 그가 바로 제

26대 충선왕으로 원나라 황실의 피가 섞인 최초의 왕이다. 하지만 충선왕은 즉위 7개월 만에 폐위되어 원나라로 다시 불려갔다. 충선왕은 '세자'의 신분으로 강등되어 1308년 충렬왕충선왕의 아버지이 세상을 떠날 때까지 원나라의 수도 연경지금의 북경에 머물렀다. 이때 '안향'은 세자충선왕를 만나기 위해 개경과 연경을 오고 가면서 주자의 학문을 접했고 주자의 저서를 직접 베껴 써서 고려에 들여온 후 제자를 길러내는 등 성리학의 보급을 위해 노력하였다. 그래서 안향은 고려 최초의 '주자학자'로도 평가된다.

1306년 안향이 세상을 떠난 후 그의 학문을 계승하여 성리학과 주자의 사상을 고려에 널리 알린 인물은 '백이정'이다. 세자충선왕를 보좌하며 연경에서 10년 동안 머문 백이정은 성리학을 본격적으로 연구하며 그 체계를 파악하였고 무엇보다 그의 학문을 계승할 훌륭한 제자를 키워냈다. 백이정이 평생 연구한 성리학과 주자의 사상은 이제현에게 계승되어 발전하였고 이제현의 학문은 '목은 이색'에게 전해졌다. 이색은 정몽주, 정도전, 이숭인, 권근 등 고려의 기둥이자 조선의 초석이 될 제자들을 키워냈고 '신진 사대부' 세력의 수장이 되었다.

내조의 여왕 강 씨, 이성계의 정치적 성장을 돕다

정도전과 이성계는 매우 빠르게 가까워졌다. 하지만 두 사람의 관계를 불안해하는 사람이 있었으니 경처 강 씨였다. 그녀가 보기에 정도전은 정치가나 학자가 아니라 이성계를 이용하여 출세하려는 욕망에 가득 찬 위험한 선동가 혹은 사기꾼 같았다. 강 씨는 이성계가 당대의 실세 이인임에게 미운털이 박힌 정도전과 교류하는 것에 불만을 품었다. 강 씨의 불안은 이내 현실로 드러났다. 이인임이 정도전과 친밀한 이성계를 경계하기 시작한 것이다. 고려의 국정을 좌우하고 있는 이인임의 눈 밖에 난다는 것은 정치가로써 성공하기 어렵다는 것을 의미했다.

이때 강 씨는 권문세가 출신다운 노련한 방법으로 이 위기를 극복했다. '정략결혼'을 통해 당대의 실세인 이인임과 아예 인척 관계를 맺어버린 것이다. 사실 이인임과 강 씨 사이에는 '신돈'이라는 공통분모가 있었다. 강 씨의 형부 '신귀'는 신돈의 집안사람이었고, 신귀의 형 신예[10)]는 이인임의 매제였다. 즉 강 씨의 언니와 이인임의 여동생은 동서지간이었다. 신돈이 숙청되면서 신귀도 함께 처형이 되

10) 신돈의 친척으로 신돈이 집권했을 때 엄청난 권력을 누리며 일명 '신왕'이라고 불렸다.

었고 이때 이인임도 잠시 한직으로 밀려난 적이 있었다. 이런 공통점과 인척 관계를 총동원하여 강 씨는 이인임의 조카 이제와 자신의 딸을 결혼시켰다.

'정략결혼'이라는 확실하게 보장된 방법을 통해 위기를 극복한 강 씨의 빛나는 내조 덕분에 당대의 권세가인 이인임과 사돈이 된 이성계는 조정에서도 무시할 수 없는 존재감을 발휘하기 시작했다.

고려 최후의 권신, 이인임

드라마 〈정도전〉에서 명언 제조기로 불리며 재조명된 인물이 바로 고려 최후의 권신이자 정치 9단

신덕왕후 강 씨 친인척 관계도

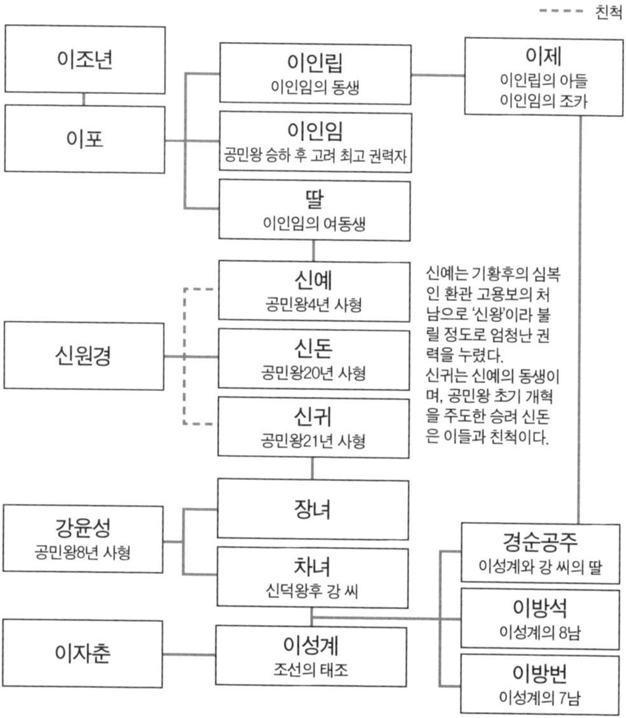

이인임이다. 그는 쿠데타를 일으켜 공민왕을 시해한 일당을 단숨에 처형하고 공민왕의 아들 우왕을 즉위시킨 후 10년 동안 섭정하며 고려를 좌지우지한 인물이다. 어린 나이에 즉위한 우왕은 이인임을 양아버지라 부르며 따를 정도였으며 그에게 모든 것을 의지했다.

이인임은 권문세가 출신으로 그의 할아버지는 고려 중기 문인이자 시인이었던 이조년이다. 이조년이 지은 시조는

11) 김천택이 고려 말엽부터 편찬 당시영조 4년, 1728년까지의 여러 사람의 시조를 모아 엮은 고시조집으로 〈해동가요〉 〈가곡원류〉와 함께 3대 시조집 중 하나로 불린다. 〈청구영언〉의 '청구'는 본래 우리나라를 뜻하는 말이고, '영언'은 노래를 의미한다.

조선 영조 때 편찬된 고시조집 〈청구영언〉[11)]에 수록되어 있는데 〈다정가〉라는 제목으로 지금까지도 널리 잘 알려져 있다.

이화에 월백하고
은한이 삼경인 제
일지 춘심을 자규야 알랴마는
다정도 병인 양하여
잠 못 들어 하노라

이포의 차남으로 태어난 이인임은 형제가 많았는데 형제들 모두 능력이 비범하고 권력에 민감하며 처세술에 능해 고려 말 혼란한 시대에도 출세의 길을 걸었다. 큰형 이인복은 충숙왕3년1326년 19세로 과거에 급제하여 벼슬을 하였고, 제자이자 신진 사대부인 하륜을 조카와 결혼시키기도 했다. 이것이 바로 이색 문하에서 정몽주, 정도전 등과 함께 수학하였던 신진 사대부 출신의 하륜이 이인임의 조카사위가 된 배경이다.

셋째 이인미는 하륜의 장인이며 넷째 이인립은 이성계의 사돈으로 그의 아들 이제가 이성계의 사위이다. 여섯째 이인민의 아들 이직은 조선 건국에 일조하였고 개국공신 겸 좌명공신으로 봉해져 사후 성산부원군으로 추증되었다.

이인복은 사람을 보는 눈썰미와 시대의 흐름을 읽는 데 탁월하여 공민왕에게

고려의 권신 이인임 가계도

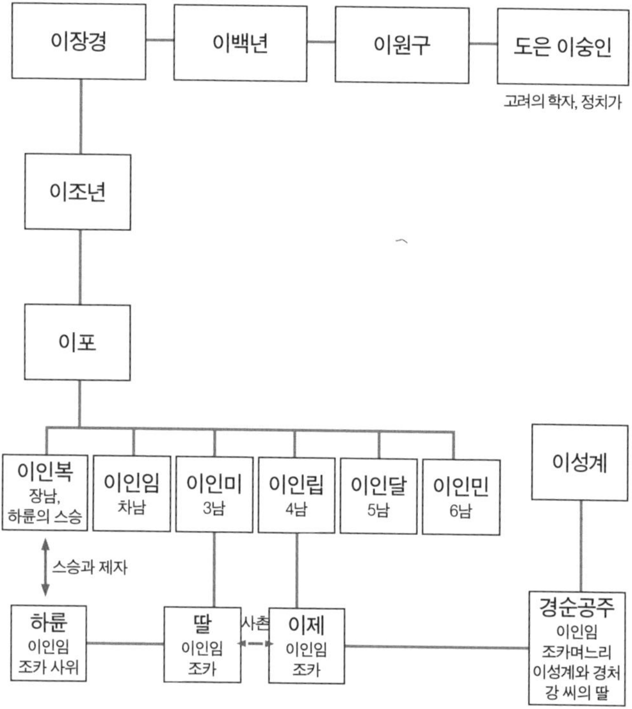

는 장차 신돈으로 인해 문제가 일어날 것이라 조언하였고, 세상을 떠나기 전 동생 이인임과 이인민에게 나라를 망치고 집안을 거덜 내게 될 것이라고 말하기도 했다.

이인임은 형과 달리 과거를 보지 않았고 귀족 자제로서의 특권을 활용하여 음직으로 관직에 올랐다. 정치 감각이 뛰어났고 능력도 있었던 그는 공민왕 13년 1364년 원나라의 사주를 받은 충선왕[12)]의 서자 덕흥군이 고려에 쳐들어오자 이를 격퇴했고, 공민왕17년1368년 원나라의 동녕부를 토벌하여 공을 세웠다. 또한 공

12) 고려의 제26대 임금, 1275~1325

민왕이 정치에 흥미를 잃고 신돈에게 권력을 주자 권문세족 출신임에도 신돈의 눈에 들어 개혁의 실무를 앞장서서 담당했다. 신돈에 반대하였던 형 이인복과는 반대의 길을 걷기 시작한 것이다. 신돈이 쫓겨난 후 잠시 한직으로 밀려났던 것이 유일한 좌절이었지만 공민왕23년 1374년다시 복귀하여 수문하시중[13]에 임명되었다. 오히려 벼슬이 더 높아진 것이다.

13) 고려시대 중서문하성의 종1품 관직으로 실권을 담당한 최고의 관리다. 고려 시대 수문하시중은 조선 시대 좌의정, 우의정에 해당했고, 문하시중은 조선시대 영의정에 해당했다.

그해 공민왕이 심복이었던 자제위[14] 출신 홍윤과 내시 최만생 등 친위세력이 일으킨 쿠데타로 시해되자 진상을 파악했다. 한밤중 은밀하게 공민왕을 시해한 홍윤과 최만생 등은 처음에 역도들이 쳐들어와서 공민왕을 죽였다고 외쳤고, 이 말을 들은 관리들과 근위병들은 겁에 질려 아무도 나서서 사실을 확인하지 못했다고 한다. 이때 사실 확인에 나선 이인임

14) 공민왕21년1372년 친정을 선언한 후 왕권을 강화하고 신변 호위 및 인재를 양성할 목적으로 공민왕이 왕궁에 설치한 관청이다. 공민왕은 공신과 고위 관직자의 자제 중 젊고 외모가 잘생긴 청년을 선발하여 임금의 시중을 들도록 하였다. 이들은 노국공주의 죽음 이후 변태적으로 성격이 변한 공민왕의 수족이 되어 왕의 뜻에 따라 후궁들을 겁탈하기도 하였다.

은 최만생의 옷깃에 묻은 핏자국을 보고 그를 추궁하여 공민왕을 시해한 진짜 역도들을 극형으로 다스리며 단숨에 조정의 주도권을 장악했다.

역도들의 처형을 마친 이인임은 더는 왕위를 비워둘 수 없다며 공민왕과 노비 출신의 후궁 반야 사이에서 태어난 '우'를 왕으로 옹립하였고, 어린 왕을 대신하여 조정의 모든 업무를 관장했다. 왕을 대신하여 섭정하는 집정 대신이 된 이인임은 공민왕과 신돈의 개혁 정책을 폐기하고 철저하게 권문세족 중심으로 돌아가 자주노선을 포기, 친원 정책으로 일관했다. 이에 반발하는 신진 사대부와 개혁 세력을 몰아내고 그 자리는 측근들과 권문세족들로 채웠다. 그 후 우왕13년1387년, 노환으로 은퇴할 때까지 이인임은 몰락해 가는 원나라와 떠오르는 명나라 사이에서 노련하게 줄타기 외교를 하면서 부귀영화를 누리고 권력을 휘둘렀다.

일흔이 넘은 이인임이 노환을 이유로 은퇴하자 무장 출신의 최영이 권력을 잡았다. 최영은 오랜 세월 국정을 어지럽힌 죄를 물어 이인임을 유배 보낸 뒤 그의 측근이었던 지윤, 임견미, 염흥방 등이 부정부패와 극악무도한 횡포를 일삼자 이들을 단호하게 숙청한다. 이때 최영의 곁에는 불패의 명장이자 권력의 중심부로 자리를 잡은 이성계가 있었다.

이성계는 이인임과 정치적으로 대립

관계이면서 사적으로는 사돈 관계였다. 이인임이 집권하던 시기, 초야의 신진이자 정치 초보였던 이성계는 경처 강 씨와의 사이에서 태어난 딸을 이인임의 조카와 결혼시켰던 것이다. 이런 이유로 위화도 회군 이후 이성계에게 불만을 품은 윤이와 이초 등 권문세족 출신의 정적들은 명나라로 망명하여 주원장에게 이성계가 이인임의 아들이니 그를 토벌해 달라고 요청했다. 주원장이 친원파였던 이인임을 싫어하는 것을 알았기 때문이다. 하지만 이는 사실이 아닌 근거 없는 악담일 뿐이었다.

주원장은 이성계를 토벌하지는 않았지만 윤이, 이초의 고변 때문에 명나라 법전이자 역사서인 대명회통大明會通의 조선 왕조의 계보에 이인임이 이성계의 부친으로 기록되면서 조선과 명나라 사이에 오랫동안 외교적 마찰이 빚어지기도 했다. 이 문제가 완전히 해결된 것은 건국으로부터 약 200년 후인 선조 17년1584년이다.

위화도 회군, 추락하는 이성계의 위상

1368년, 가난한 한족의 빈농 출신으로 태어나 탁발승을 전전하던 주원장이 난징을 점령하고 스스로 황제홍무제로 즉위하여 명나라를 세웠다. 당시 고려는 공민왕이 재위하고 있었는데 명나라에서 원나라의 세력을 완전히 몰아낸 것이 아니었기 때문에 고려 내부에서는 친원 세력과 친명 세력 사이의 갈등이 컸다. 이후 우왕13년1388년 주원장이 원나라의 세력을 만리장성 밖으로 완전히 축출하고 중원을 통일했다. 건국 20년 만에 통일의 대업을 달성한 것이다.

자신만만해진 주원장은 고려에 과거 원나라의 '쌍성총관부[15)]'가 설치되었던 철령 이북의 땅을 반환하라고 요청했다. '쌍성총관부'와 철령 이북의 땅은 고려가 원나라의 속국이 된 지 약 100년 만인 공민

15) 고려 후기1258~1356 원나라가 화주和州, 함경남도 영흥군 이북의 고려영토를 차지하고 설치했던 통치기관

왕5년1356년에 되찾은 지역이었다. 쌍성총관부를 폐지하고 철령 이북의 영토를 수복하는 과정에서 가장 큰 역할을 했던 인물이 바로 이성계의 아버지 이자춘으로 이를 계기로 원나라에 귀화했던 이성계 일가는 다시 고려로 재귀화하였다.

따라서 고려가 자력으로 철령 이북의 영토를 수복한 것은 이성계가 고려 최고의 장군이자 불패의 명장으로 성장하는 데 가장 중요한 역할을 한 것이다. 명나라에서 이 지역의 영토를 반환하라고 요청한 것은 고려의 자존심은 물론 이성계의 자존심을 건드린 사건이었다.

우왕13년1387년 일흔이 넘은 이인임이 정계에서 은퇴하고 명실공히 고려 최고의 권력자가 된 최영 장군은 철령 이북 지방을 요구하는 명나라의 도발에 단호하게 맞설 것을 주장하며 요동 정벌군을 편성했다. 이때 최영 장군은 이성계가 당연히 앞장서서 요동 정벌에 나서리라 생각했다. 하지만 뜻밖에도 이성계는 사불가론[16]을 주장하며 전쟁을 반대한다.

하지만 총사령관 최영은 이성계를 우군통도사로 임명하고 왕의 명을 내세워

16) 이성계가 주장한 요동 정벌이 불가능한 네 가지 이유. ①작은 나라가 큰 나라를 거스르는 것은 옳지 않다. ②여름철에 군사를 동원하는 것은 옳지 않다. ③온 나라의 병사를 동원해 원정을 가면 왜적이 그 허술한 틈을 타서 침범할 염려가 있다. ④무덥고 비가 많이 오는 시기이므로 활의 아교가 풀어지고 병사들도 전염병에 시달릴 염려가 있다.

출병을 선언했다. 뼛속까지 군인이었던 이성계는 전쟁을 반대하면서도 끝내 총사령관 최영의 군령을 어기지 못했고 10만 대군을 이끌고 요동을 향해 출발했다. 그런데 정작 최영 본인은 요동으로 가지 않고 우왕의 곁에 남았다. 공민왕이 '시해'로 목숨을 잃었던 것을 기억하는 우왕이 최영에게 자신의 신변을 부탁했기 때문이다.

총사령관 최영의 부재 속에서 이성계는 압록강 근처의 작은 섬 위화도에 도착했고 그곳에서 군사를 돌렸다. 그를 제어할 수 있는 사람은 좌군통도사 조민수밖에 없었지만 조민수는 이성계의 회군을 막지 않았다. 군사를 돌린 이성계는 최영을 제압하고 개경으로 압송하여 처형하고 우왕을 폐위시켰다. 이성계를 고려의 충성스러운 신하이자 고려를 지키는 장군으로 믿었던 백성들은 이러한 행동에 경악했다.

위화도 회군은 완벽하게 성공했고 막강한 군사력을 갖춘 이성계의 권력을 넘보는 사람은 감히 아무도 없었다. 이처럼 완벽한 성공에도 불구하고 이성계의 위상은 오히려 추락하고 말았다. 고려의 영웅이자 충신의 대명사였던 최영의 죽음에 큰 충격을 받은 개경의 백성들이 이성계에게 등을 돌린 것이다. 요동정벌을 반대했던 정몽주와 정도전, 조준 등의 사대부들은 위화도 회군의 정당성을 주장하며 여론을 잠재우기 위해 필사적으로 노력했으나 헛수고였다. 우왕을 폐위시키고 최영을 죽인 이성계에 대한 백성들의 반감은 점점 커졌다. 유독 민심을 경계했던 이성계는 괴로웠으나 역성혁명의 완수를 위해 그저 견딜 수밖에 없었다.

우왕을 폐위시킨 이성계는 9살에 불과한 우왕의 아들 창왕을 즉위시킨 후 섭정이 되었다. 공민왕이 시해된 후 우왕을 즉위시킨 이인임이 권력을 장악한 방식을 똑같이 반복한 것이다. 창왕은 허수아비나 다름없었고 조정은 이성계의 손아귀에 있었다. 하지만 백성들은 여전히 왕건의 핏줄인 '왕씨 일족'에 대하여 뿌리 깊은 경외심이 있었고 조정 안팎에는 이성계의 급부상을 경계하는 세력도 적지 않았다. 다만 강력한 군대와 권력을 지닌 이성계가 두려워 대놓고 반감을 드러내지 못할 뿐이었다.

공양왕의 옹립, 정몽주의 매서운 반격

창왕을 임금으로 옹립한 지 얼마 되지 않아 강화도에서 유배 중이던 우왕이 이성계에게 자객을 보낸 것이 발각되었다. 이어서 창왕이 아버지 우왕을 복위시키려 했던 사실까지 드러났다. 이 사건으로 창왕은 즉위 1년 만에 폐위되었다. 우왕과 창왕의 연이은 폐위로 왕위가 공석이 되자 이성계, 정도전,

조준, 정몽주 등 9명의 신하가 흥국사에 모여 차기 임금을 결정했다. 이때 양양공[17]의 6대손 정창군 '왕요'가 왕으로 뽑혔다. 그가 바로 고려의 마지막 임금, 공양왕이다.

공양왕을 옹립하면서 이성계는 '폐가입진'을 주장했다. '폐가'란 우왕은 공민왕이 아닌 신돈의 아들이니 가짜 임금이고, 우왕의 아들 창왕 또한 가짜이기 때문에 폐위시켰다는 뜻이며 '입진'은 태조 왕건의 혈통인 진짜 임금을 세운다는 뜻이다. 노비 출신의 반야가 아들을 낳았을 때, 훗날 혈통을 의심받는 일이 생길까 염려하며

17) 고려 제20대 신종의 차남

서둘러 그를 왕자로 임명했던 공민왕의 걱정은 결국 현실이 되고 말았다.

45살의 나이로 갑자기 임금이 된 공양왕은 눈물을 흘리며 왕위에 올랐다. 임금이 되었다는 기쁨보다는 어쩌면 자신이 500년을 지켜온 고려의 마지막 임금이 될지도 모른다는 두려움이 더 컸을 것이다. 하지만 일단 자신을 옹립한 신하들에 대한 인사치레가 먼저였다. 이성계, 정도전, 정몽주를 비롯하여 흥국사에 모여 공양왕의 옹립을 주도한 9명의 신하는 공신으로 책봉되었다.

고려 말, 뜻있는 신진 사대부와 귀족들은 개혁의 필요에 공감했고 백성들은 전쟁, 약탈, 수탈의 고통이 없는, 안심할 수 있는 튼튼한 국가의 울타리 안에서 살고 싶다는 소망이 간절했다. 하지만 그 '국가'가 '고려'가 아닌 다른 나라이며, 왕건의 후손이 아닌 인물이 왕이 된다는 것은 감히 아무도 생각하지 못했다. 고려의 백성들은 자부심이 있었다. 국경 너머에서는 북송과 남송, 요거란, 금여진, 원몽골제국 등 많은 나라들이 나타났다 사라지기를 반복했지만 고려는 500년을 버텼기 때문이다.

고려의 장군 이성계는 누구보다 백성들의 마음을 잘 알고 있었다. 수많은 위기 속에서도 고려 왕실에 대한 백성들의 믿음은 무너진 적이 없었다. 이성계는 백성에게 사랑받는 나라를 만들고 싶었고,

백성들에게 존경받는 왕이 되고 싶었다. 이성계가 바라는 이상적인 건국은 고려의 태조 왕건이 그랬던 것처럼 백성들의 뜨거운 요구와 지지를 통해 군주로부터 자발적 양위를 받아 평화적으로 왕조를 교체하는 것이었다. 그래서 이성계는 민심이 다시 돌아서기를 기다렸고 이를 위해 굳이 공양왕을 다시 세운 것이다.

공양왕이 즉위했을 때, 이성계와 정도전은 그의 재위가 길지 않을 것이라 생각했다. 공양왕은 정치적 세력이 미약했고 군사력은 더욱 없었기 때문이다. 허수아비나 다름없는 공양왕의 가장 중요한 역할은 자발적인 양위를 통해 이성계가 왕위에 오르는 것에 대한 반발을 최소한으로 줄여주는 것이었다. 그런데 뜻하지 않은 강력한 복병이 등장했다. 창왕의 폐위와 공양왕 옹립에 적극적으로 참여했으나 고려의 멸망을 결사적으로 막고자 했던 정몽주가 공양왕과 손을 잡고 이성계와 대립한 것이다.

윤이·이초 사건, 깊어지는 이성계의 고민

공양왕 즉위 후 이성계가 실권을 장악한 조정에서 정몽주는 승진을 거듭했다. 하지만 최종 목표가 완전히 달랐던 두 사람의 밀월은 얼마 지나지 않아 파탄을 맞는다. 공양왕2년1390년 5월, 명나라에 사신으로 간 조반이 놀

라운 '풍문'과 함께 귀국한다. 이성계에게 반발한 '누군가'가 파평군 윤이와 중랑장[18] 이초를 명나라에 보냈고 이들이 명나라 황제 주원장에게 이성계를 공격하기 위한 군사를 청했다는 것이다. 이는 조반이 명나라에서 들은 이야기를 그대로 전한 것으로 문서가 없어 정확한 증거는 없었지만, 조반의 입에서는 사건과 관련된 이들의 이름이 술술 나왔다.

조반이 들고 온 '풍문'은 고려의 조정을 긴장시켰다. 만약 주원장이 윤이와 이초에게 군사를 빌려준다면 전쟁이 일어날

18) 고려, 조선시대의 무관직으로 고려시대에는 정5품 무관직이었다.

수도 있었다. 이성계는 즉각 정도전을 보내 윤이, 이초의 고변이 거짓임을 명나라에 해명하였다. 정도전은 명나라에서 돌아오자마자 사건의 배후를 조사하면서 곧바로 이색, 우현보, 이종학, 권근, 이숭인, 하륜 등 역성혁명에 반대하는 사대부들을 지목하여 유배 보냈다. 조사가 끝나기도 전, 순식간에 이루어진 처벌이었다. 이들은 모두 청주로 유배되어 수감되었다. 그런데 얼마 후 홍수가 나는 바람에 강물이 범람하여 청주성 감옥에 갇혀 있던 죄수들이 나무에 매달려 간신히 목숨을 건진 사건이 발생했다. 이를 계기로 정몽주는 민심 수습 차원에서 죄상이 명백하지 않은 사건에 대해 사면을 요청하였고 공양왕은 윤이, 이초 사건에 대한 심문을 중단하고 혐의가 있는 관련자들을 모두 풀어주었다. 권력을 폭력적으로 남용하여 정적을 숙청하려 했던 정도전의 행동으로 혁명파와 정몽주의 아슬아슬했던 동맹은 완전히 끝났다. 정몽주는 고려를 지키기 위해 이성계에게 등을 돌렸다. 이제 두 사람은 더 이상 동지가 아닌 적이었다.

사실 이성계는 정몽주와 함께 역성혁명을 완성하고 싶었다. 하지만 동맹이 아닌 이상 정몽주는 반드시 제거해야 할 고려의 마지막 세력이었다. 30년 가까이 마음을 터놓고 함께했던 정몽주와 적이 되어 대립하게 된 이성계는 너무도 괴로웠다. 적과 아군이 명확한 전쟁터에서 이성계는 불패의 장군이었지만 적과 아군이 모호한 정치판에서 이성계는 갈 곳을 잃었다. 윤이·이초 사건이 일어난 이듬해 이성계는 갑자기 은퇴를 선언하고 고향으로 돌아가겠다고 밝혔다. 역성혁명을 포기하고 싶은 마음을 보인 것이다. 정계 은퇴를 할 정도로 정몽주와의 대립은 이성계에게 무척 괴로운 일이었다.

이성계와 역성혁명의 위기

공양왕3년1391년 7월 9일, 장기간 '자발적 사직' 상태였던 이성계는 오랜만에 공양왕과 만났다. 바로 다음

날인 7월 10일, 공양왕이 이성계의 집을 찾아와 밤늦도록 술을 마시며 회포를 풀었다. 이 회동의 표면적인 명분은 권력이나 왕위에 관심이 없는데도 계속되는 견제와 비난에 시달린 끝에 정계 은퇴를 선언할 정도로 마음고생이 심했던 이성계를 공양왕이 위로하는 자리였다.

하지만 권력을 사양하는 신하를 임금이 다독이며 설득하는 지극히 사사로운 술자리 분위기는 화기애애와 거리가 멀었고 공양왕과 이성계 사이에는 일촉즉발 팽팽한 긴장이 흘렀다. 이때 이성계의 경처 강 씨가 다시 한번 절묘한 방법으로 이를 해결했다. 이성계와 강 씨의 아들 이방번을 공양왕의 조카딸과 맺어주는 정략결혼을 추진한 것이다. 결과는 대성공이었다. 이성계는 다시 정계에 순조롭게 복귀했고 이미 공양왕과 한집 식구가 되었기에 왕위에 욕심이 있다는 소문은 잠시 잦아들었다. 얼마 후 묵묵히 고향을 지켰던 이성계의 향처 한 씨가 세상을 떠났다.

하루빨리 역성혁명을 완수하고 싶은 정도전은 답답함을 참지 못한 채 계속해서 이색, 이숭인 등을 강력하게 처벌하라는 상소를 올렸다. 윤이·이초 사건의 배후라는 이유였지만 증거도, 명분도 부족했다. 이에 정몽주는 이성계에게 반대하는 대간들을 움직여 역으로 정도전을 탄핵했다. 이색, 우현보 등에 대한 처벌을 사주했다는 주장과 함께 정도전에 대한 인신공격이 이어지면서 정도전은 위기에 몰렸다.

정도전에 대한 탄핵안이 올라오자 공양왕은 기다렸다는 것처럼 정도전의 공신녹권[19]을 박탈하고 아들들을 서인으로 강등시켜 고향 봉화로 유배를 보냈다. 정도전의 유배지는 얼마 후 봉화에서 나주로 옮겨졌다. 혹시라도 개경에 연락을 취할 것을 미연에 방지하기 위해서였다. 역성혁명 세력의 중심인 정도전이 개경에서 쫓겨나자 이성계는 혼란에 빠졌고 눈

19) 공신으로 책봉된 사람의 직위, 이름, 공신 책봉 경위 및 이에 대한 특권이 기록된 문서

앞에 잡힐 것 같았던 역성혁명은 점점 멀어졌다.

정도전의 위기는 곧 이성계의 위기였다. 정몽주가 조정에 있는 한 정도전의 복귀는 불가능했기 때문이다. 이처럼 정도전이 막다른 길에 몰려 정치 생명을 위협받고 있을 때 이성계는 무엇을 하고 있었을까? 이성계는 고려의 신하라는 직분을 다하고 있었다. 공양왕4년1392년 3월, 이성계는 명나라에 사신으로 갔던 세자공양왕의 아들를 맞이하기 위해 개경을 떠났다.

며칠 후 이성계는 해주에서 사냥 중 낙마로 부상을 입었다. 비록 나이가 들었다고는 하지만 신기에 가까운 기마 솜씨를 뽐내던 이성계가 사냥 중에 말에서 떨어졌다는 것은 이해하기 어렵다. 게다가 당시 이성계는 세자를 맞이하러 '가는' 중이었다. 세자 마중이라는 임무를 완수하기도 전에 풀어진 모습을 보인 것은 무슨 이유였을까? 어쩌면 이성계는 자신이 왕이 되지 않으면 정도전이 죽을 수도 있고, 자신이 왕이 되기 위해서는 정몽주를 제거할 수밖에 없는 현실이 괴로웠을지도 모른다.

역성혁명 세력의 수장 이성계에게 사고가 났다는 소식이 알려지자 조정은 급박하게 돌아가기 시작했다. 정몽주는 곧바로 공양왕에게 정도전과 조준 등 이성계파의 핵심 인물들을 처형해야 한다는 강력한 상소를 올린다. 이들은 정몽주의 오랜 벗이자 동지들이었으나 고려의 존립에 위협이 되는 이상, 역성혁명 세력을 모두 제거할 생각이었다. 공양왕에게는 고려를 지킬 수 있는 마지막 기회였다.

하지만 결정적인 순간 공양왕은 망설였고 처형 대신 유배를 보내는 것으로 사건을 마무리하고자 했다. 하지만 정몽주가 더욱 거세게 몰아붙이며 처형을 허락해달라고 요청하자 마지못해 먼저 국문[20]을 하라고 명했다. 끝내 처형을 허락받지 못한 정몽주는 국문 중 이들을 모두 제거

20) 반역이나 역모 등 중대한 죄인에게 자백을 받기 위해 자백을 받기 위해 임금의 명으로 형장을 설치, 고문을 가하는 심문을 의미한다. 임금이 직접 국문하는 것은 친국親鞫 이라고 한다.

하기로 결심했다. 기회가 주어졌을 때 혁명 세력의 뿌리를 뽑아내야 한다고 생각한 것이다.

이방원의 하여가 vs 정몽주의 단심가

기세등등하던 역성혁명 세력은 정도전의 유배로 혼란에 빠졌고 이성계의 낙마 소식이 알려지면서 '처형'의 주도권은 정몽주의 손에 들어갔다. 이성계와 정도전의 독주를 우려하던 사람들은 정몽주의 결단에 암묵적으로 동의하였다. 역성혁명을 시작한 이후 이성계에게 가장 큰 위기가 찾아온 것이다. 이때 반전이 일어났다. 고향에서 어머니

향처 한 씨의 초상을 치르며 시묘살이를 하던 이방원이 이성계에게 달려가 사태를 알리고 그날 밤 이성계와 함께 개경으로 돌아온 것이다.

어머니 한 씨의 초상을 치르던 이방원에게 개경의 소식을 전해준 사람은 바로 이성계의 경처 강 씨였다. 그녀는 사위 '이제'를 이방원에게 보내 위급함을 알려주었고 그녀의 판단대로 이방원은 이성계와 개경으로 돌아옴으로써 위기를 극복했다.

부상으로 거동을 못 한다던 이성계가 생각보다 멀쩡한 몸으로 개경에 돌아오자 조정에 다시 긴장감이 돌았고, 정몽주의 계획에 차질이 빚어졌다. 이방원은 바로 이때 정몽주를 제거해야 한다고 생각하였고 경처 강 씨도 적극적으로 찬성하였다. 강 씨의 동의로 용기를 얻은 이방원은 이성계에게 허락을 구했다. 하지만 정몽주를 제거하겠다는 말을 들은 이성계는 화를 내며 거절하였다.

정몽주에 대한 문제로 이방원과 이성계가 갈등을 빚고 있을 때 당사자가 나타났다. 정몽주가 혼자서 이성계의 병문안을 온 것이다. 정몽주를 죽이려고 했던 이방원은 당황하였으나 이성계는 웃으며 정몽주를 맞았고 두 사람은 사이좋게 담소를 나누었다. 정몽주의 방문은 순수한 병문안이 아니라 이성계의 상황을 염탐하려는 목적도 있었다. 하지만 두 사람은 정적이기 이전에 오랜 세월을 함께 보내 온 동지이기도 했다. 서로 말은 하지 않았으나 이성계는 정몽주와 끝내 같은 길을 갈 수 없음이 아쉬웠고, 정몽주는 이성계를 설득할 수 없는 것이 아쉬웠다.

이성계가 정몽주와 담소를 나누는 사이 이방원은 형제들과 이성계의 의형제 이지란[21)]에게 정몽주를 살해 계획을 이야기했다. 하지만 모두 고개를 저었다. 특히 이지란은 정몽주를 제거하는 것은 이

21) 본명은 퉁두란. 여진족 출신으로 고려에 귀화한 후 '이두란'으로 이름을 바꿨다. 이성계와는 의형제사이로 이성계의 경처 강 씨의 조카딸을 아내로 맞기도 했다. 조선 개국 후 개국공신으로 봉해져 '창해 이씨' 성을 하사받은 후 '이지란'으로 이름을 바꿨다.

성계의 뜻이 아니라며 반대하였다. 모두가 반대할수록 이방원의 마음은 굳어졌다. 야사에 따르면 이방원은 이날 이성계의 병문안을 마치고 돌아가려는 정몽주를 따로 불러 시조를 읊으며 그의 마음을 떠보았다고 한다. 이 시조가 그 유명한 하여가이다.

이런 들 어떠하며
저런 들 어떠하랴
만수산 드렁 칡이
얽혀진들 어떠하리
우리도 이렇게 얽혀져
백년만년 누리리라

역성혁명에 동참하여 태평성대를 누리자는 노골적인 제안을 담은 시조였다. 스물다섯, 혈기 왕성한 이방원의 도발을 들은 쉰다섯의 정몽주는 자신의 마음을 담은 시조로 응수했다. 이때 정몽주는 죽어도 고려를 지키겠다는 마음을 담아 격조와 품위가 넘치는 단심가를 읊었다.

이 몸이 죽고 죽어
일백 번 죽고 죽어
백골이 진토 되어
넋이라도 있고 없고
님 향한 일편단심이야
가실 줄이 있으랴

정몽주의 마음을 돌릴 수가 없다고 생각한 이방원은 선죽교를 건너는 그를 무참하게 때려죽였다. 1392년 4월 26일, 대낮에 일어난 대담한 살인이었다.

피와 땀과 눈물로 얻은 조선의 왕위에 오르다

이방원이 정몽주를 살해했다는 이야기를 들은 이성계는 분노했다. 무력으로 역성혁명을 하고자 했다면 기회는 얼마든지 많았다. 하지만 이성계는 민심의 지지를 얻기 위해 참고 기다렸다. 그런데 이방원이 정몽주를 죽임으로써 이 모든 노력이 허사가 된 것이다. 무엇보다 이성계는 정몽주를 좋아하고 존경했다. 동지에서 정적으로 입장은 달라졌고 조선의 건국을 위해서 정몽주는 반드시 넘어야 할 산이었지만 이성계는 어떻게든 그와 '함께' 역성혁명을 완성하고 싶어 망설이고 또 망설였다. 하지만 이제 정몽주는 아들 이방원의 손에 죽고 없었다. 정몽주의 죽음으로 민심은 또 한 번 이성계에게 등을 돌렸고 이내 비난이 쏟아졌다.

위화도 회군 직후, 이성계가 최영 장군을 처형하여 민심이 등을 돌렸을 때 여론을 무마하기 위해 발 벗고 뛰어준 이가 정몽주였다. 그만큼 정몽주의 죽음은 이성계에게 큰 충격이었다. 역성혁명의 완수는 눈앞으로 다가왔으나 이성계는 이방원을 용서하지 않았다. 이성계의 후계자를 노렸던 이방원은 정몽주를 제거하여 역성혁명에 결정적인 공을 세웠지만, 오히려 이성계의 미움을 받게 되었다.

일단 이성계는 유배지에 있던 정도전과 조준 등을 불렀다. 정몽주의 공격으로 죽음의 문턱까지 경험한 정도전은 더 이상 평화적인 방법을 고수하지 않았다. 정몽주의 죽음으로부터 3개월도 채 지나지 않은 7월 12일, 정도전의 측근인 배극렴은 대비를 압박하여 옥새를 먼저 받아낸 후 공양왕에게 강제로 양위를 받아냈다. 형식은 분명 '양위'였으나 공양왕은 상왕으로 물러나는 대신 폐위되어 강원도 원주로 보내졌다. 이제 남은 것은 이성계가 왕위에 오르는 것뿐이었다. 이성계는 새 왕조 창업은 하늘이 돕지 않으면 안 되며 자신은 덕이 없음을 이유로 극구 사양했다. 왕위에는 욕심이 없다는 것을 보이기 위한 형식적인 행동이었지만, 이성계의 진심이기도 했다.

7월 16일, 문무백관들이 옥새를 들고 이성계의 집으로 몰려갔다. 경처 강 씨와 함께 밥을 먹고 있던 이성계는 대문을 굳게 닫고 방으로 들어갔다. 그러자 이들은 대문을 부수고 들어가 옥새를 대청에 올려놓고 이성계가 나오기를 기다렸다. 잠시 망설인 뒤, 방에서 나온 이성계는 몇 번 사양하였으나 결국 옥새를 받았고 왕위에 오르겠다고 승낙했다. 이성계가 바랐던 것처럼 형식적으로나마 '양위'를 통해 역성혁명을 완성한 것이다. 7월 17일, 이성계는 공양왕이 즉위한 수강궁에서 왕으로 즉위했고 경처 강 씨는 왕비로 책봉되어 이성계와 나란히 즉위식을 치렀다. 새로운 왕조, 새로운 국가의 탄생이었다.

이성계의 처세술, 탁월한 능력과 순수한 진심의 결합

변방의 무장에서 고려의 2인자로, 다시 역성혁명을 완성하고 조선을 건국한 이성계. 그의 일생은 그 자체로 불가능을 가능으로 바꾼 혁명과도 같았다. 원나라에서 내려준 벼슬을 받아 동북면의 지방호족으로 지내왔던 이성계의 가문은 여진족과도 혼인 관계를 맺고 있었다. 한 마디로 이성계는 국적과 혈통에 대한 논란거리가 다분한, 건국 시조의 신성함이라고는 찾아볼 수 없는 변방의 촌뜨기였다. 하지만 이성계는 고려로 귀화한 후 가문이나 배경의 도움 없이 자신의 입지를 세워나갔고 마침내 조선의 건국 시조가 되었다. 도대체 그에게는 어떤 능력이 있었던 것일까?

장군으로서 이성계는 카리스마와 온화함을 지닌 뛰어난 리더였다. 이성계는 수많은 전투를 승리로 이끌었고 병사들은 한 마음으로 이성계를 믿고 따랐다. 정치가로서 이성계는 드물게 추문이 없고 사생활이 깨끗했다. 권모술수와 암투가 끊이지 않는 조정에서는 오히려 이성계의 모범생다운 모습이 단점이었지만, 그의 인품에 매료된 사람들도 생겨났다. 바로 정치적으로는 '비주류'에 속했으나 개혁을 주장했던 신진 사대부들이었다. 이성계는 자신에게 다가오는 사람들을 품을 줄 알았고 현실은 낙오자였으나 머릿속에 원대한 개혁의 구상을 품고 있는 정도전을 받아주었다.

이성계는 무시할 수 없는 규모의 강력한 사병을 거느리고 있었으나 그가 건국의 대업을 이룰 수 있었던 것은 무력이 아니라 인품 때문이었다. 이성계는 비주류인 신진 사대부 세력에 긍정적인 시선을 보냈고 그들의 지지를 얻었다. 또한 정도전의 가능성을 알아본 혜안을 지녔고 자신을 반대하는 정몽주를 끝까지 품고자 했을 정도로 포용력도 있었다. 그래서 정도전은 역성혁명으로 이성계를 왕으로 옹립하여 2인자가 되고 싶어 했고, 정몽주는 이성계와 함께 고려를 개혁하고 싶어 했다.

정도전은 훗날 조선이 건국된 후 자신을 한고조 유방의 책사였던 장량에 비유하면서 "한고조가 장량을 이용한 것이 아니라 장량이 한고조를 이용한 것이다."라고 말했다. 뜻대로 천하를 개혁하기 위해 자신이 이성계를 선택했다는 뜻이었다. 정도전을 만나지 않았더라면 이성계는 역성혁명을 완수하고 조선을 건국하지 못했을 수도 있다. 조선을 건국하지 못했다면 이성계는 정몽주와 함께 고려의 충신으로 남았을 것이다. 하지만 정도전이 이성계를 만나지 못했다면 그는 과연 역사에 이름을 남길 수 있었을까?

연표로 보는 조선 건국사

년도	주요 사건
1335년충숙왕4년	이성계 탄생
1337년충숙왕6년	정몽주 탄생
1342년충혜왕4년	정도전 탄생
1351년	공민왕 즉위
1355년공민왕4년	이자춘과 공민왕의 은밀한 만남 장소: 개경
1356년공민왕5년	쌍성총관부 수복, 이자춘·이성계 고려에 귀화
1361년공민왕10년	이자춘 사망, 홍건적 개경함락, 공민왕 안동으로 피난
1362년공민왕11년	개경 탈환총대장 최영, 이성계 나하추 격퇴
1364년공민왕13년	이성계와 정몽주의 첫 만남
1365년공민왕14년	노국대장공주 승하, 우왕 탄생
1367년공민왕16년	이방원 탄생

1374년공민왕23년	공민왕 시해사망
1375년우왕1년	우왕10살 즉위
1376년우왕2년	최영 홍산대첩
1380년우왕6년	이성계 황산대첩
1383년우왕9년	이방원17세, 문과 급제, 이성계와 정도전의 첫 만남
1388년우왕14년	위화도에서 회군, 최영 사형, 우왕 폐위·유배, 창왕9세 즉위
1389년	창왕 폐위·유배, 공양왕 즉위
1390년공양왕2년	윤이·이초 사건
1392년공양왕4년	정몽주 사망, 공양왕 유배, 이성계 임금으로 즉위

창업 군주 주원장과 이성계, 적장자 계승에 실패하다

명나라와 조선은 둘 다 신생국가였고 주원장과 이성계는 창업 군주였다. 그래서 후계문제는 매우 중요했다. 한족의 재건이라는 명분에서 출발한 명나라는 유교 국가를 표방했고, 명나라와의 사대관계에 의지한 조선은 성리학을 통치이념으로 내세웠다. 유교와 성리학의 가치관에 의하면 군주의 후계자는 적장자가 계승하는 것이 원칙이었다. 주원장은 이를 지켜 장남을 태자로 책봉했으나 이성계는 사랑하는 왕비 강씨의 막내아들 이방석을 세자로 세웠다. 문제는 주원장의 장남도, 이성계의 막내

아들도 왕위에 오르지 못했다는 것이다.

41세의 나이로 황제가 된 주원장은 30년 동안 재위했다. 의심이 많았던 그는 재위 말년 군벌 출신 공신들을 대대적으로 숙청했는데 이는 후계자에게 안전하게 제위를 물려주기 위해서였다. 주원장은 정비인 마황후와의 사이에서 4명의 아들을 두었는데 '적장자 계승'의 원칙에 따라 장남 '주표'를 황태자로 삼았다.

하지만 1392년 황태자 주표가 41세의 젊은 나이로 세상을 떠나자 주원장의 다른 아들들은 동요했다. 특히 혈기왕성하고 야심만만한 넷째 아들 '주체'는 내심 왕위를 기대하고 있었다. 주원장은 고민했다. 능력을 생각하면 주체가 후계자가 되기에 가장 적합했으나 적장자가 계승해야 한다는 신하들의 반대에 부딪혔다. 결국 황태자가 승하한 지 반년이 지나서야 주원장은 황태자의 장남 주윤문을 황태손으로 삼는다.

조선 개국공신 명단에 감춰진 비밀

1392년 8월 5일음력 7월 17일, 고려의 장군이자 시중侍中[22]이었던 이성계는 공양왕에게 옥새를 받아 새로운 나라의 임금이 되었다. 이름처럼 공손하게 양위를 한 공양왕은 고려의 마지

22) 고려시대 최고 정무기관인 중서문하성의 수상직으로 재상조선시대의 정승직의 통칭이으로 종1품에 해당한다.

막 임금이 되었고 고려는 과거의 역사가 되어 사라졌다. 역모나 반란이 아니라 지극히 평화로운 '양위'의 방식으로 나라를 세운 이성계는 새로운 나라, 조선을 건국하는데 힘을 보탰던 신하들을 공신으로 봉했다. 이들을 개국공신開國功臣이라고 하는데, 조선 최초의 공신이다. 개국공신의 인원은 모두 52명으로 그 공에 따라 1등부터 3등까지 차등을 두었다.

이 중 좌명개국공신으로 불린 1등 공신은 이성계의 정치 파트너로서 새로운 나라 조선을 설계한 정도전과 공양왕으로부터 옥새를 받아 이성계에게 전달한 배극렴을 비롯한 17명이었다. 또한 협찬개국공신으로 불린 2등 공신은 훗날 2차 왕자의 난을 일으키는 박포를 포함한 13명이었고, 익대개국공신으로 불린 3등 공신은 이방원의 심복 조영무와 조선 최초의 세자이자 이성계의 막내아들인 이방석의 장인 심효원을 포함한 22명이었다.

그 외에 무려 1,698명에 달하는 인원이 개국원종공신으로 봉해졌다. 1등~3등까지의 공신들이 실질적으로 조선의 개국에 제 몫을 해낸 이들이라면 원종공신은 조선의 개국을 반대하지 않았던 고려의 관리 대다수가 포함되어 있었다. 부와 명예가 보장된 주요 관직은 1등~3등 공신들의 몫이었지만 반란의 조짐을 방지하고 이제 막 새로 태어난 조선의 정국이 원활하게 운영되기 위해서는 하급관리들의 역할도 중요했기 때문이다. 원종공신 중에는 업적도 능력도 별로 없으나 운이 좋아서 공신으로 임명된 이들도 많았다. 바로 이성계의 친인척들이었다.

공신으로 봉해진 이들은 상으로 땅과 노비를 받은 것 외에도 특별한 혜택을 누릴 수 있었다. 면책권과 계승권으로 공신의 자손들은 죄를 지어도 벌을 받지 않을 권리가 부여되었고 공신의 작위는 직계 자손 중 장남에게 물려줄 수 있었다. 공신의 작위를 계승한다는 것은 과거시험을 치르지 않고도 벼슬에 진출할 수 있다는 것을 의미했다. 이른바 음직蔭職[23]이다. 직계 자손이 없을 경우에도 계승권은 사라지지 않았고 조카나 사위가 혜택을 대신 계승할 수 있었다. 이처럼 조상의 덕으로 인해 과거를 거치지 않고 음직을 통해서 중앙정치에 진출한 수많은 관리는 거대한 훈구세력을 형성했다. 조선 초기, 주요 신하들은 대부분 공신이거나 왕실 친인척이었다. 이 훈구세력은 훗날 과거를 통해 중앙정치에 진출한 사림세력과 대립한다.

조선 건국으로부터 14일이 지난 8월 20

23) 공신功臣과 고급관료 자제들이 과거를 거치지 않고 조상의 혜택으로 얻는 관직.

일, 태조 이성계에 의해 개국공신이 봉해졌다. 조선의 개국을 알리러 명나라에 간 사신이 국호를 받아오기도 전이었다. 정식으로 개국이 이루어지기도 전에 공신부터 정한 셈이다. 하지만 이날 발표된 개국공신 명단은 그 후 조금씩 추가되거나 수정되었다. 최초로 발표된 이 명단에 아예 빠져 있다가 추후에 등장하는 인물 중 가장 유명한 인물이 바로 정안대군 이방원이다.

목은 이색과 찬란한 그의 제자들

고려 말부터 조선 초의 정치적 상황을 이해하기 위해서는 신진사대부의 핵심 인물을 알아야 한다. 신진사대부는 고려 말, 원나라에 의존하여 부귀영화를 독점한 권문세족에게 반발하며 개혁의 분위기를 주도한 세력이다. 성리학을 공부하며 개혁의 주체로서 활동하는 신진사대부의 중심에는 목은 이색이 있었다.

관리이자 학자였던 목은 이색의 문하에는 출중한 제자들이 많았는데 그 중 대표적인 인물이 정몽주, 정도전, 이숭인, 하륜, 권근 등이다. 이 중 포은 정몽주와 도은 이숭인은 스승 이색과 더불어 '삼은'이라고 불렸다. 목은 이색의 제자 중에는 고려의 충신으로 남은 인물도 있고 조선의 개국공신이 된 인물도 있었다.

고려의 마지막 충신 정몽주

목은 이색의 제자 중 가장 출중한 인물은 정몽주였다.

"학문에서 어느 누구보다 부지런했고, 가장 뛰어났으며, 그의 논설은 어떤 말이든지 이치에 맞지 않는 것이 없다."

정몽주에 대한 목은 이색의 평가이다. 이색은 정몽주에 칭찬을 아끼지 않았으며 제자인 그를 '동방 이학理學의 시조'라고 부를 정도였다. 정몽주는 공민왕9년1360년 문과 장원으로 급제하며 이름을 알렸고 그 후 동북면 절도사 한방신의 종사관으로 발탁되었다. 그는 25살이 되던 공민왕11년1362년 여진족 토벌에 참여하며 이성계와 처음으로 만났다. 이 만남은 이성계와 정도전에게 그리고 고려와 조선에 큰 영향을 주었다.

공민왕16년1367년 목은 이색은 성균관 대사성으로 임명되었고 정몽주는 성균관 박사로 임명되었다. 스승과 제자가 나란히 성균관을 대표하는 관직에 임명된 것이다. 당시 고려에는 성리학에 대하여 참고할 만한 해석본이나 경전이 들어오지 않은 상황이었지만 정몽주는 막힘없는 해설과 강의로 명성을 얻었다. 교재 없이 명강의를 펼친 것이다. 성균관에서 정몽주의 성리학 강의를 들었던 생도들은 그 후 명나라에서 들어온 경전이 강의 내용과 일치하자 감탄을 금치 못했다고 한다.

이처럼 학문과 언변 뿐 아니라 정치, 외교, 군사 등 거의 모든 분야에서 출중한 능력을 보인 정몽주는 이인임을 비롯한 권문세족에게 견제의 대상이자 포섭의 대상이기도 했다. 하지만 정몽주는 권문세족과 손을 잡고 권력과 부귀영화를 누리는 쉬운 길을 가는 대신 신진사대부의 수장으로서 차근차근 출세의 길을 걸었다. 고려의 마지막 세 임금인 우왕, 창왕, 공양왕이 모두 정몽주에게 의지하였으니 그야말로 고려를 지킬 수 있는 가장 탁월한 인물인 셈이었다.

위화도 회군 이후 정몽주는 잠시 이성계와 손을 잡지만 역성혁명을 반대하면서 대립했다. 마지막까지 고려를 지키고자 했던 정몽주의 개혁은 그가 이방원에 의해 피살되면서 끝났다. 정몽주가 세상을 떠난 뒤 3개월도 지나지 않아 공양왕이 이성계에게 옥새를 양위하면서 고려는 역사 속으로 사라졌다. 이방원은 조선의 건국을 위해 정몽주를 죽였으나 왕위에 오른 후 그를 '충절'의 대명사로 기렸다. 조선의 건국을 끝까지 막고자 했던 정몽주는 이방원에 의해 조선시대 내내 절의와 충심을 지킨 인물로 사대부들에게 칭송의 대상이 되었다.

조선의 설계자 정도전

신진사대부 중 가장 열렬한 과격파였던 정도전은 역성혁명을 계획하고 이성계가 공양왕의 양위를 통해 왕위에 오르는 것을 보좌하며 조선 건국의 설계자가 되었다. 고려 조정에서 뜻을 펼치지 못했던 정도전은 조선의 건국과 함께 자신이 구상해온 나라를 만들고자 했고, 이성계는 정도전을 적극적으로 지지해주었다.

이 과정에서 왕과 종친을 비롯한 왕자들의 권력이 비대해지는 것을 경계했던 정도전은 건국에 가장 큰 공을 세운 이성계의 5남 이방원과 대립했다. 개국공신이 된 정도전이었지만 모순적인 행동으로 많은 비난을 받았다. 왕실에 권력이 집중되는 것을 경계하면서도 자신을 지지하는 '왕비의 정치 개입'은 방관하는가 하면 더 나아가 왕비 강 씨의 막내아들 이방석을 세자로 삼는 것에 찬성했다.

성리학을 통치이념으로 건국된 조선의 첫 번째 세자가 적장자 계승이 아닌 이성계의 편애와 정도전의 편의에 따라 결정된 것은 분명 문제가 있었다. 하지만 정도전은 정적들의 비난에는 날을 세우되 자신과 자신을 지지하는 소수의 이들에게는 관대했다. 정도전은 불교를 혐오했으나 독실한 불교 신자였던 이성계가 사찰을 건립하는 것을 모른 척했다. 이성계는 정도전이 뜻을 이룰 수 있게 그를 후원하는 '왕'이었고, 이방원을 비롯한 종친들에게는 서슬이 퍼렇던 정도전의 원칙은 이성계와 왕비 강 씨 그리고 세자 한정으로 한없이 관대했다.

결국 정도전은 표전문 사건에서 끝까지 책임을 회피하여 그를 대신해 사신으로 간 다른 관리들이 처형되기까지 하는 사건의 원인을 제공하고 명나라와의 외교 문제를 악화시켜 비난받았고 여론과 상황을 반전시키기 위해 무리하게 요동 정벌을 주장하여 종친과 공신들의 반발을 샀다. 그동안 그를 지지하며 지켜주었던 왕비 강 씨의 죽음과 이성계의 병세로 인해 태조7년1398년, 정도전은 결국 왕자의 난을 일으킨 이방원의 손에 죽음을 맞았다. 그 후 왕위에 오른 이방원은 정도전의 업적에 대해 최선을 다하여 폄하했고 고의적으로 정몽주를 칭송하며 정도전을 비난했다. 정도전의 신원이 회복된 것은 고종 대에 이르러서였다.

처세의 신
하륜

하륜은 목은 이색 문하의 제자 중 정몽주와 정도전의 후배였다. 하륜의 집안은 가난했으나 그는 시대의 흐름을 읽는 눈과 처세술이 탁월했고 기회를 자신의 것으로 만드는 능력이 있었다.

공민왕14년1365년, 과거에 응시한 하륜

은 문과에 급제하였는데 이때 시험관이 목은 이색이었다. 또 다른 시험관은 이인복이인임의 형이었는데 하륜은 문과 급제를 계기로 이인복의 눈에 들어 그의 조카사위가 되었다. 문과 급제와 함께 당대의 권력자 이인임의 집안사람이 되고 당대의 학자로 명망 높은 이색의 제자가 되었으니 온전히 자신의 능력과 매력만으로 출세의 기회를 잡은 것이다.

하륜은 정도전의 역성혁명에 반대했고 이로 인하여 스승 이색과 함께 유배되기도 했다. 또한 조선 건국 후에도 내내 출세하지 못했는데 이는 정도전의 견제 때문이었다. 정도전의 계속된 독주에 불만을 품었던 하륜은 결국 이방원과 손을 잡고 그의 책사가 되어 1차 왕자의 난과 2차 왕자의 난을 성공으로 이끌고 이방원이 왕위에 오르는 데 결정적 역할을 한다. 이후 하륜은 왕위에 오른 이방원을 보좌하며 큰 권세를 누렸고 태종이 승하한 후 그의 묘정에 배향[24]되는 영광을 누렸다.

세종대왕과 정인지의 스승 권근, 권우 형제

목은 이색과 정몽주의 제자인 권근은 공민왕18년1369년 18살의 나이로 문과에 급제하여 춘추관검열이

24) 임금이 승하한 후 보좌한 공적이 많은 신하의 신주를 태종의 신주 곁에 놓고 같이 제사를 지내는 것

되었다. 그는 정몽주의 죽음에 큰 충격을 받고 조선 건국 후 은거 중이었으나 이성계의 간곡한 만류와 부탁으로 다시 출사의 길에 나섰다. 성리학에 대한 조예가 깊고 문장력이 빼어난 권근은 항상 학문이나 문장에 관련된 관직을 맡아 명성을 얻었다.

권근의 동생 '권우'는 포은 정몽주와 형에게 학문을 배웠다. 젊었던 권우는 역성혁명에 찬성했고 조선 건국 후 자연스럽게 관직을 맡았다. 권우가 맡은 가장 중요한 관직은 태종18년1418년에 맡은 세자를 가르치는 스승 '세자빈객'이다. 이 시기에 권우가 가르친 세자가 바로 충녕대군세종대왕이다. 이러한 인연으로 권우는

왕의 스승이 되었고, 세종 대에 집현전을 이끌며 활약했던 정인지라는 걸출한 제자를 키워내기도 했다.

사림의 시작 길재

야은 길재는 정몽주의 제자이자 권근의 동문으로 고려가 망하자 관직을 버리고 경상북도 선산善山에 낙향했다. 정종2년1400년 당시 실세였던 세자 이방원이 그를 회유하기 위해 벼슬을 내렸으나 두 왕조를 섬길 수 없다고 하며 거절하고 고향인 선산에서 학문 연구와 후학 양성에 힘썼다.

야은 길재의 학문은 제자인 김숙자를

거쳐 김종직김숙자의 아들에게 이어졌고 김종직의 학문은 김굉필을 거쳐 조광조에게 이어졌다. 길재-김숙자-김종직-김굉필-조광조로 이어지는 성리학의 정통은 조선 사림의 시작이 되었다.

화, 드라마로 만나는 조선의 왕

조선 임금	영화	드라마
조 이성계 5-1408 위 1392-1398조선 임금 위 1398-1400조선 상왕 위 1400-1408조선 태상왕	〈해적, 바다로 간 산적, 2014〉 〈순수의 시대, 2015〉	〈용의 눈물, 1996-1998〉 〈대풍수, 2012〉 〈정도전, 2014〉 〈하녀들, 2014〉 〈육룡이 나르샤, 2015-2016〉 〈나의 나라, 2019〉
대 태종 이방원 67-1422 위 1398-1400조선 세자 위 1400-1418조선 임금 위 1418-1422조선 상왕	〈나는 왕이로소이다, 2012〉	〈태종 이방원, 2021-2022〉 〈원경, 2025〉
대 세종대왕 97-1450 위 1418조선 세자 위 1418-1450조선 임금 **5대 문종** 14-1452 위 1421-1450조선 세자 위 1450-1452조선 임금	〈나랏말싸미, 2019〉 〈천문, 2019〉	〈대왕 세종, 2008〉 〈뿌리 깊은 나무, 2011〉 〈장영실, 2016〉 〈홍천기, 2021, 퓨전사극〉
6대 단종 41-1457 위 1448-1450조선 왕세손 위 1450-1452조선 세자 위 1452-1455조선 임금 **7대 세조수양대군** 17-1468 위 1455-1468조선 임금	〈관상〉 〈광대들, 풍문조작단, 2019〉	〈한명회, 1994〉 〈왕과 비, 1998-2000〉 〈사육신, 2007〉 〈왕과 나, 2007-2008〉 〈공주의 남자, 2011〉 〈인수대비, 2011-2012〉 〈대군-사랑을 그리다, 2018〉

고려 말 신진 사대부 비교

	정몽주	정도전	이숭인	하륜	권근
탄생	1337년	1342년	1346년	1347년	1352년
과거	1357년 공민왕6년 국자감시 25) 합격 20살	1360년 공민왕9년 성균시 합격 18살	1360년 공민왕9년 국자감시 합격 14살	1360년 공민왕9년 국자감시 합격 15세	1368년 공민왕17년 성균시 합격 17세
	1360년 공민왕9년 삼장26) 장원 23살	1362년 공민왕11년 동진사27) 급제 21살	1362년 공민왕11년 병과 급제 16살	1365년 공민왕14년 문과 급제 20세	1369년 공민왕18년 문과 급제 18세

25) 일종의 예비시험으로 감시, 관시, 성균시, 국자시 등으로 불렸다. 합격자에게는 성균관국자감에 입학자격과 문과대과에 응시 자격이 주어졌다.

26) 고려 후기의 과거제도에서 문과는 초장, 중장, 종장의 3단계로 구성되었다. 조선의 과거제도에서 문과대과가 초시, 복시, 전시 3단계의 전신이다.

27) 고려의 과거제도는 성적에 따라 을과 3인1~3등, 병과 7인4~10등, 동진사 23인11~33등으로 구분했다.

관직	성균관 박사	성균관 박사	숙옹부승 정7품	춘추관[28] 검열정8품	춘추관 검열정8품
	역성혁명 반대파 건국 전 피살	역성혁명 주도	역성혁명 반대파 건국 후 처형	역성혁명 반대 건국 후 출사	역성혁명 반대 건국 후 출사
최대 위기	1392년 조선건국 직전	1392년 조선건국 직전	1391년공양왕3년 정도전에 의해 윤이·이초 사건의 배후로 지목되어 스승 이색과 함께 유배		
제자	권근, 길재 등				권우동생, 길재 정인지, 세종대왕
사망	1392년 이방원에게 피살	1398년 태조7년 이방원에게 피살	1392년 정도전의 명으로 유배지에서 장살	1416년 태종16년 노환으로 사망	1409년 태종9년 사망

28) 고려·조선 시대에 왕명 등을 논의하고 실록편찬을 위한 기록 등을 담당하던 부서

〈한 장면으로 시작하는 조선왕조실록〉 시리즈
역사를 읽는 새로운 방식, 중요한 역사를 만든 그 날의 한 장면부터 시작해 역사 속 인물을 더욱 입체적으로 들여다봅니다. 왕과 신하, 왕비와 궁녀, 충신과 간신, 사랑과 음모, 전쟁과 개혁까지 조선왕조실록이 기록한 그 날을 재현합니다.

한 장면으로 시작하는 조선왕조실록 1

이성계, 조선을 건국하다

초판 1쇄 발행 2025년 8월 31일

지은이 조민기
펴낸이 김태영

씽크스마트
경기도 고양시 덕양구 청초로 66
덕은리버워크 지식산업센터 B동 1403호

전화 02-323-5609
홈페이지 www.tsbook.co.kr
블로그 blog.naver.com/ts0651
페이스북 @official.thinksmart
인스타그램 @thinksmart.official
이메일 thinksmart@kakao.com

씽크스마트 더 큰 세상으로 통하는 길 '더 큰 생각으로 통하는 길' 위에서 삶의 지혜를 모아 '인문교양, 자기계발, 자녀교육, 어린이 교양·학습, 정치사회, 취미생활' 등 다양한 분야의 도서를 출간합니다. 바람직한 교육관을 세우고 나다움의 힘을 기르며, 세상에서 소외된 부분을 바라봅니다. 첫 원고부터 책의 완성까지 늘 시대를 읽는 기획으로 책을 만들어, 넓고 깊은 생각으로 세상을 살아갈 수 있는 힘을 드리고자 합니다.

도서출판 큐 더 쓸모 있는 책을 만나다 도서출판 큐는 울퉁불퉁한 현실에서 만나는 다양한 질문과 고민에 답하고자 만든 실용교양 임프린트입니다. 새로운 작가와 독자를 개척하며, 변화하는 세상 속에서 책의 쓸모를 키워갑니다. 홍겹게 춤추듯 시대의 변화에 맞는더 '쓸모 있는 책'을 만들겠습니다.

ISBN 978-89-6529-440-5 (04910)